BAILEY

en el museo

Harry Bliss

SCHOLASTIC INC.

A MI PERRA PENNY

Originally published in English as *Bailey at the Museum*
Translated by Juan Pablo Lombana

ISBN 978-0-545-56267-6

12 11 10 9 8 7 6 5 4 3   16 17 18/0

Printed in the U.S.A.   40
First Spanish printing, September 2013

The display type was set in Clarendon Bold.
The text type was set in Clarendon Light.
Book design by David Saylor

Hoy es la excursión de la escuela. Bailey está emocionado.

La Sra. Smith les pide a todos que elijan un compañero.
Es importante que nos cuidemos los unos a los otros.

Y no salirnos de la fila.

El guía del museo les da la bienvenida.

El Sr. Snyder habla de las exhibiciones. Sabe mucho.

A Bailey le interesan mucho
los huesos de dinosaurios.

Tal vez le interesan *demasiado*.

Uno de los guardias baja a Bailey.

La Sra. Smith habla sobre las reglas del museo.

Ahora Bailey tiene un nuevo compañero.

En el almuerzo, Bailey se come todo de un bocado.

Le agradece a su nuevo amigo la comida extra.

Hay TANTO que ver en el museo.

A Bailey le gusta mucho este tipi.

Piensa que es perfecto…

¡para tomar una siesta!

Afortunadamente, Bailey tiene muy buen olfato.

Llegan justo a tiempo.

Antes de partir, Bailey se despide.

¡Duerme bien, Bailey!